Celia Ribeiro

ETIQUETA NA PRÁTICA

Para Crianças

ILUSTRAÇÕES:

Mig

L&PM
EDITORES

Ilustrações: Mig
Consultoria pedagógica: Professora Rosália Alvim Saraiva
Revisão de original: Rosa Suzana Ferreira
Produção: Jó Saldanha e Lúcia Bohrer

ISBN: 85.254.0631-7

R484e Ribeiro, Celia
Etiqueta na prática para crianças / Celia Ribeiro; ilustrações de Mig. -- Porto Alegre: L&PM, 1997.
98 p.: il.; 21 cm

1. Etiqueta-crianças. 2. Mig, il. I.Título.

CDU 395-053.2

Catalogação elaborada por Izabel A. Merlo, CRB 10/329

Porto Alegre: Rua Comendador Coruja, 326 - 90220-180 - Floresta - RS
Fone: (0xx51) 225.5777 Fax: (0xx51) 221.5380
São Paulo: Rua Cel. Oscar Porto, 1120 - Paraíso - 04003-005 - SP
Fone/Fax: (0xx11) 571.5021

Impresso no Brasil
Outono de 2000

Vamos ler...

OI, PESSOAL!

VAMOS APRENDER

JUNTOS

UMA PORÇÃO DE COISAS

NESTE LIVRO.

Para que servem as boas maneiras?

Dá para imaginar o que seria do trânsito se não houvesse regras para motoristas e pedestres se entenderem: uma grande confusão. É proibido ultrapassar um carro na estrada, pela direita. Quando o motorista pede passagem, chega mais próximo do carro da frente e pisca os faróis, mesmo de dia. O outro entende, reduz a velocidade e se dirige para a direita da estrada dando passagem. Motoristas educados só usam a buzina em extrema necessidade. Já pensou a poluição sonora que seria com todo mundo buzinando?

O relacionamento entre as pessoas pode ser comparado ao trânsito. Elas vão e vem, conversam, entendem-se e se desentendem. Precisam então saber as regras que ajudam a conviver em harmonia. É tão importante ser bem-educado que os adultos que desconhecem algumas das recomendações sobre as boas maneiras à mesa ou como portar-se com pessoas que vêem pela primeira vez, por exemplo, lêem livros de etiqueta e fazem cursos.

O PEQUENO PRÍNCIPE EGÍPCIO

Quem sabe tratar os outros com educação, tem melhores condições para conseguir o que deseja. Uma prova disto é Ptahotep, faraó do Egito, o país das múmias e das pirâmides, ter escrito, há milhares de anos, um livro de boas maneiras para seu filho, o príncipe herdeiro. Ptahotep sabia que, falando com bons modos, as pessoas criam um melhor ambiente em sua volta. Ora, um rei governando seu povo com respeito, além de estimado, é também obedecido mais facilmente.

O livro do faraó Ptahotep é o mais antigo tratado de boas maneiras de que se tem conhecimento. Depois dele, foram escritas centenas e centenas de obras, ensinando as pessoas a serem gentis e viverem melhor.

O MENINO WASHINGTON

A capital dos Estados Unidos chama-se Washington em homenagem ao primeiro presidente daquele país, George Washington. Ele tinha 14 anos quando, lendo um livro de boas maneiras de um autor francês, ficou tão impressionado que resolveu escrever o seu livrinho. George escolheu as 110 regras que achou mais importantes para ajudar a gente a conviver bem com os outros. Está curioso para saber algumas? Leia aqui:

♦ Não seja orgulhoso, mas também não insista com quem não quer brincar com você.

♦ Se estiver conversando, não dê as costas a uma das pessoas.

♦ Cuide para não sacudir a mesa, onde há outros lendo ou escrevendo.

♦ Não ponha a comida na boca com a faca.

♦ Não se mostre satisfeito com a infelicidade de quem você considera seu inimigo.

A NOSSA ETIQUETA

Para o bom convívio – em casa, na escola, na rua, no clube – é preciso seguir regras de cortesia, isto é, de boas maneiras. Cortês é uma pessoa que tem consideração, é amável com os outros. Tudo isto é etiqueta. Você conhece a etiqueta da roupa, o cartãozinho com as indicações da marca, como lavar a peça e outras informações, não é? Estas etiquetas dão regras de como cuidar da roupa.

A etiqueta que é o assunto deste livro é muito mais. Ela é um conjunto de regras indicando como se portar em relação às outras pessoas, recomendando também cuidados com a higiene pessoal e a aparência. Quando a gente capricha na roupa para ir a um aniversário, vestindo-se de acordo com o dia de festa, é etiqueta na prática.

Se você não quiser ser chato, preste atenção nas regras deste livro. Verá que logo vai empregá-las e todos vão achá-lo uma criança bem-educada. É um bom começo para quando for adulto ter melhores condições de um bom relacionamento, inclusive com os companheiros de trabalho.

Esta é a regra básica da etiqueta.
Quer alguns exemplos?

VOCÊ GOSTA DE...

...SER EMPURRADO PARA ENTRAR NO ELEVADOR?

...CUMPRIMENTAR ALGUÉM SORRINDO E NÃO RECEBER RESPOSTA?

...SER FORÇADO A ESCUTAR O BARULHO DA TV DO VIZINHO?

...EMPRESTAR UM LIVRO E RECEBÊ-LO SUJO?

Etiqueta se aprende também prestando atenção ao comportamento das pessoas mais experientes, que vão a jantares importantes, freqüentam festas e são reconhecidas por serem bem-educadas. Lendo este livro, você vai saber muita coisa. Até quando imitar os adultos. Verá que não é nenhuma vergonha perguntar quando tiver dúvidas. Os mais velhos podem ajudá-lo muito.

Palavrinhas mágicas

Lendo este livro, você está pegando a chave para abrir o tesouro das boas maneiras. É bom ter na ponta da língua estas palavras, usando-as de acordo com a ocasião. Elas parecem mágicas! Ao dizê-las, a gente pode ver uma pessoa com cara muito séria passar a sorrir e a nos tratar muito bem. Mas preste atenção: ele diz obrigadO e ela, obrigadA.

DESCULPE!
ESBARREI EM VOCÊ SEM QUERER!
NÃO FOI NADA!
POR FAVOR,
POSSO USAR SEU TELEFONE?
COM LICENÇA,
POSSO ENTRAR?

Novos amigos

Cristiana é uma garota bonita, sabe cuidar do seu visual, é estudiosa, mas para se relacionar bem com os amigos deve lembrar uma das regrinhas mais importantes de boas maneiras. Outro dia, ela saiu da escola de natação com o João, e se encontrou com duas amiguinhas na rua. Elas pararam para conversar. Passaram uma porção de tempo falando e nosso amigo ficou de lado, sem jeito. Sentiu-se "sobrando". É que Cristiana não disse às outras quem ele era, nem ele ficou sabendo o nome das meninas.

Faltou a apresentação. Dizer quem é quem. Isto se aprende com a prática.

Diga o nome de uma menina antes do de um garoto. O nome de uma senhora antes do de um homem. Ao apresentar crianças, diga primeiro o nome da pessoa mais velha. Quando vai apresentar seu pai ou sua mãe para uma professora, fale primeiro o nome desta. Às vezes, não tem quem nos apresente, então a gente mesmo se apresenta. Quando você está num grupinho e chega um conhecido seu, ao apresentá-lo não precisa dizer o nome de todos. Só o do que chega.

MARCELO E BIA, ESTE É O JORGE, MEU COLEGA DA NATAÇÃO!
OI, TUDO BEM?
OI!
TUDO BEM.
DONA BEATRIZ, ESTE É MEU PAI!
SEU ARTUR, ESTA É MINHA COLEGA BEATRIZ!
PROFESSORA, ESTES SÃO MEUS PAIS!
MEU NOME É JORGE. E O SEU?
RAFAELA! EU VOU JOGAR COM ELES ALI. QUER IR JUNTO?
TURMA, ESTE É O GUILHERME. A GENTE MORA NO MESMO EDIFÍCIO!
TUDO BOM?

Depois de saber quem é quem se torna fácil começar a conversa e todos ficam logo prontos para as brincadeiras.

Quando Guilherme estiver falando com meninos que não conhece, pergunta o nome deles. Você vai ver que a gente sente a hora de fazer isto. Em geral, as crianças ficam encabuladas e não falam. Isto também acontece com os adultos mais tímidos. É tudo uma questão de prática e de ter a coragem de nas primeiras vezes, quando ainda se fica sem jeito, fazer logo a apresentação.

Começo de conversa

O melhor é perguntar alguma coisa.

Pronto. Começou a amizade. Com gente mais velha, também não se preocupe. Em geral, elas falam primeiro. Perguntam seu nome.

OLÁ, COMO VAI?

Ao cumprimentar, olhe nos olhos da pessoa. Dizem que os olhos são a janela da alma, mostram aquilo que se está sentindo, sem precisar falar. Podem revelar que se está gostando de encontrar um amigo ou de conhecer alguém. Se você estiver sentado, e cumprimentar um adulto que chega, levante-se sempre. Nem precisa falar (em geral, a gente fica encabulado). O melhor é sorrir, pois logo se atrai a simpatia.

Ao cumprimentar, espere para dar o beijinho, pois quem toma a iniciativa é a pessoa mais importante, por ser mais velha. No caso de uma menina com quem não tem intimidade, deixe que ela avance e mostre que quer dar o beijinho. Cuidado para não dar beijo estalado, ou daqueles que deixam vontade de passar o lenço no rosto.

A QUEM CHAMAR DE SENHOR?

Ao falar com as pessoas mais velhas que você não conhece bem, trate-as por senhor ou senhora. Só não use este tratamento mais respeitoso se a pessoa lhe pedir para chamá-la pelo nome: "Você não precisa me chamar de senhora".

O tratamento tia ou tio reserve para pessoas muito ligadas a sua família. Pense bem: tia é a irmã do pai ou da mãe ou uma amiga íntima de seus pais. Professora não é tia e deve ser chamada pelo nome ou de "professora". Pessoas desconhecidas também não se chama de tio ou tia.

Cumprimentos

Não é preciso conhecer uma pessoa para cumprimentá-la. Ao entrar no elevador, se diz bom dia, boa tarde ou boa noite. São cumprimentos formais. Sabe o que é formal? Neste caso, são maneiras determinadas pela etiqueta de como revelar satisfação de ver alguém. Formal também quer dizer cerimonioso, sem intimidade.

Por isso, quando você encontra pessoas íntimas, outras crianças ou familiares diga simplesmente "Oi". É uma situação informal.

Encontrar a diretora da escola no corredor e cumprimentá-la mostra que você é atencioso. Quando a gente viaja, está num hotel, convivendo com adultos, dar bom dia a quem está junto no elevador ou ao falar com o recepcionista é sinal de cortesia e boa educação.

Aperto de mão é sem doer

No dicionário está escrito que símbolo é aquilo que representa uma coisa de outra maneira. O aperto de mão é o símbolo do prazer de cumprimentar alguém. Numa festinha, num cinema, na escola, você cumprimenta uma pessoa mais velha, mas ela é que deve tomar a iniciativa de estender a mão.

Sabia que há apertos de mão desagradáveis? Quem dá a mão mole ou só a ponta dos dedos, parece de má vontade e que não achou bom encontrar aquela pessoa. Já o aperto de mão muito forte é grosseiro e chega a deixar os ossos da mão doloridos.

EM CASA

Soa o relógio despertador e a gente acorda. Que sono! É dar uma boa espreguiçada, respirar fundo e levantar logo, sem esperar que o pai ou a mãe tenham de chamar mais vezes. A preocupação é de não chegar atrasado à escola. Para sair de casa na hora, ajuda muito ter tomado banho, à noite, antes de dormir, e deixado a roupa separada e a pasta arrumada.

No banheiro, demora-se pouco, porque há mais gente na casa que precisa usá-lo. Ao escovar muito bem os dentes, todos os dias, enrole um pouquinho a parte inferior do tubo, à medida em que a pasta for diminuindo com o uso. Lavando o rosto, aproveite e escove rapidamente as unhas.

Comece a se vestir. O tênis está sujo? O melhor era ter visto isto à noite. Ligeirinho, passe uma escova neles e depois um pano úmido. Seu cachorro quer festa? Sem tempo para brincar, você promete passear na volta da escola e vai logo tomar café.

Em família

Quem mora em apartamento pequeno sabe que fica mais fácil o relacionamento quando todo mundo ajuda. Você não gosta, ao fazer as lições, que entrem a toda hora no seu quarto. No banheiro, então, nem se fala. Se está na sala, fazendo seus deveres, é muito chato quando o irmãozinho mexe nas suas coisas. Então, não faça o mesmo. Uma porta fechada se respeita. Bata na porta do quarto de seus pais e pergunte: "Posso entrar?"

Arrumar os brinquedos e os livros sem deixar bagunça no quarto é meio caminho andado para não se queixar que desapareceu seu caderno ou o álbum de fotografias. Procure colaborar para todos se darem bem. Se ajudar na cozinha, lavar sua xícara, os pratos e os talheres que usou, sua mãe ficará contente.

Recebem muitas visitas em casa? Chegue na sala, cumprimente-as e deixe seus pais à vontade com os amigos. Não fique gritando do seu quarto: "Mãêêêê, Mãêêê, onde está minha pasta?". Precisando muito falar com sua mãe, vá até onde ela está, e pergunte com bons modos se viu a pasta em algum lugar da casa.

A EMPREGADA AMIGA

A empregada da família merece ser muito bem tratada. Quando você chega numa loja e quer saber o preço da roupa da vitrine, com certeza fala com educação à vendedora, pedindo a ela que faça o favor de lhe atender. Na farmácia, quando quer um remédio, trata o balconista do mesmo jeito. Eles todos são profissionais que trabalham e prestam serviços para a gente. Então se deve respeitá-los.

Visitas em casa

Exibir seu cachorro, por mais mansinho que seja, deixá-lo chegar perto das visitas que podem detestar bichos, não é uma boa. E tem mais: o cachorrinho esperto que parece entender tudo que você diz a ele não é gente e, portanto, não sabe o que faz. Pode dar um pum mal cheiroso na sala e o vexame é total. Aquilo que para os meninos reunidos sozinhos num lugar é uma brincadeira com boas risadas, como se vê no filme do Menino Maluquinho, para o cachorro é uma necessidade física incontrolável.

Toda vez que você convida um amiguinho para passar um ou dois dias na sua casa da praia ou da cidade, lembre-se de que, como anfitrião, deve tratá-lo muito bem. Se ele fizer uma brincadeira que não for do seu agrado, deixe passar com mais paciência. Se ele for bem-educado, saberá que o hóspede deve adaptar-se aos horários e à vida da família. Se atrasar-se para o almoço ou não quiser tomar banho na hora, é bom conversar com ele.

ALÔ! QUEM FALA?

O modo como se atende o telefone revela a educação de quem recebe a chamada. Atenda com uma voz tranqüila, como se estivesse sorrindo ou bem humorado pois, por incrível que pareça, isto se reflete no modo de falar. O número do telefone deve ser pronunciado claramente. Esteja sempre pronto a receber recados, anotando certinho o nome da pessoa que telefonou e a mensagem, em letra bem legível, para evitar enganos à hora de dar o retorno.

Lembre-se sempre das palavrinhas mágicas – obrigado, desculpe, por favor, com licença –, pois, ao telefone, elas têm ainda maior poder.

Não chame sua mãe gritando "Manhêêê! Telefooone", para que, do outro lado da linha, a pessoa não fique com o ouvido tinindo.

Se não puder atender:

Ao telefonar para uma colega:

Evite conversar ao telefone comendo. Logo é notado que está de boca cheia. Também não é recomendável pegar o telefone com as mãos engorduradas, comendo uma empadinha. Se isto acontecer, recorra a um pano úmido para limpar o aparelho, antes que sua mãe reclame com razão.

A gente fica sempre em dúvida de quando terminar uma ligação. Não há mistério. É quem chamou que encerra a conversa e se despede. Nem sempre porém se pode seguir esta regra de etiqueta. Se você está saindo de casa e um amiguinho telefona, não faça cerimônia. Explique a situação:

De vez em quando, numa conversa por telefone, fale ou faça "âhâamm", para o outro saber que você está ouvindo. Uma perguntinha de vez em quando a respeito do assunto que o amigo conta mostra seu interesse.

CHAMADAS ERRADAS

Se a ligação errada repetir-se, fale tranqüilamente que deve haver problema de linha e avise que deixará seu telefone desligado por alguns minutos. Só cuide para não se esquecer de colocá-lo no gancho, depois de cinco minutos.

O TELEFONE É PARA TODOS

Toda vez que ligar para um amigo, se tiver de dizer muitas coisas, pergunte sempre – mas sempre mesmo – se ele não está ocupado. É muito chato quando o outro fica falando, falando, e nem dá para a gente dizer que está sem tempo para conversar. Todo mundo precisa usar o telefone, em casa ou na rua.

Peça sempre licença se vai usar o telefone na casa de amigos e não fique muito tempo falando. Longas conversas, mesmo em casa, só nas horas em que o pessoal não está precisando. Em geral, elas causam brigas, pois, com sua lengalenga, você pode impedir que alguém chame para um assunto importante. No orelhão, se notar uma fila enorme atrás de você, mesmo que esteja com muitas fichas na mão, seja rápido.

FORA DE CASA

Ser pontual é uma qualidade que se cultiva desde cedo, na vida. Sabia que estar freqüentemente atrasado vicia? Então vamos começar logo a nos disciplinar para chegar tranqüilos nos lugares, pensando naquilo que se vai fazer. Às vezes, não é uma situação agradável. Quer um exemplo?

Seu pai vem buscá-lo para irem ao dentista. Como todo mundo, você não gosta muito de sentar-se naquela cadeira, mas sabe do quanto precisa tratar dos dentes até para não ter dores mais tarde. Então é melhor ir logo, ficar livre daquele frio na barriga, saber que foi muito melhor que esperava, e não atrasar o dentista para atender os outros clientes.

Quando se marca hora para um encontro, sem um motivo sério, deixar as pessoas esperando é falta de consideração. Parece que você não faz questão de vê-las. Nem sempre se tem culpa, pois às vezes são os grandes que se atrasam. Por isso, convém, com bons modos, lembrar a eles do horário.

Pedir desculpas ao chegar atrasado diminui a irritação daquele que ficou esperando.

OLHA, CRISTIANA, ME DESCULPE!
EU SEI QUE ME ATRASEI...
É QUE EU VIM DE CARRO COM MINHA IRMÃ
E ELA TEVE UM PROBLEMA!
CINEMA
1
TUDO BEM!
TÁ DESCULPADO!

Foi sem querer

Caminhando na calçada, procure andar pela direita. Se alguém esbarrar em você, peça desculpas, mesmo que a culpa não tenha sido sua. Ao ouvir "desculpe", sinal de boa educação de quem pisou no seu pé, ainda que o dedão esteja doendo, diga:

— Não foi nada.

Falando assim, a pessoa fica menos preocupada. Você verá que há muitas situações em que se deve proceder do mesmo modo.

Lugares públicos

Ao usar o elevador, aguarde sempre que as pessoas saiam para que você entre. Os jovens deixam os mais velhos irem à frente. Se estiver muito cheio, peça a quem está mais perto do mostrador:

— Por favor, pode apertar no botão do nono andar? Obrigado.

Quando há outras pessoas no elevador, além de seus amiguinhos, evite conversar, pois fica um barulho desagradável em lugar tão pequeno e fechado. Também não se mexa muito. Deixe os que estão à sua frente saírem logo e, se ficar por último, segure a porta do elevador para o primeiro que for entrar.

No shopping, ao usar a escada rolante, não pare muito perto de quem estiver à sua frente. E mantenha-se à direita, dando passagem ao mais apressado. Nas escadarias comuns, correrias e brincadeiras podem machucar outras pessoas, principalmente os mais velhos.

Porta vaivém se segura para quem está por sair atrás da gente ou entrar. Chega a ser engraçado, mas pode machucar quando a porta bate no nariz. Imagine isto acontecer com você.

No ônibus, se uma senhora de idade ou uma grávida estiver de pé, levante-se e ceda seu lugar. Verá que este gesto lhe fará sentir uma pontinha de orgulho por ser uma criança bem-educada que gosta de ajudar os outros.

Esperando na fila

Quando há um grupo de pessoas desejando entrar no mesmo lugar, para ser atendido num balcão, comprar ingressos de cinema, ir ao banheiro ou pagar as compras no supermercado, por exemplo, é preciso que elas se organizem por ordem de chegada. Uma fila deve ser respeitada. Quem está com pressa por um motivo muito sério, pede licença aos que estão na frente para ser atendido em primeiro lugar e agradece a compreensão.

Nos aeroportos, diante do balcão de fazer o *check-in* e despachar a bagagem, há no chão uma faixa amarela, distante mais de um metro do lugar de atendimento. Este espaço é só para o passageiro que está sendo atendido. Crianças viajam com seus pais ou, quando sozinhas, têm sempre alguém responsável para cuidar destes detalhes. Então não precisam ocupar aquele espaço. Esperam, com calma, ao lado da fila.

No cinema e no teatro

Um espetáculo já começa em casa, quando a gente está se preparando. Veja no jornal o nome dos artistas e algumas informações para ficar ainda mais curioso. No cinema, diante da fila onde quer ficar, peça licença para passar junto das cadeiras ocupadas até encontrar seu lugar. E, por favor, não coloque os pés ou os joelhos no encosto da cadeira da frente.

Faça os comentários sobre o filme em voz baixa. Barulho de papel também perturba. Por isso, aproveite um momento de risos ou aplausos do público para tirar a bala do pacotinho.

No teatro, é a mesma coisa. Espectadores que falam alto, levantam e caminham atrapalham a apresentação e são muito chatos.

É diferente quando o espetáculo é descontraído, estimula sua participação na platéia e você pode até falar com os artistas.

Já quando as crianças vão assistir a uma apresentação de balé ou um concerto de música séria, fazendo parte de um público de adultos que sabem se comportar, devem se conduzir como eles.

CLAP!
CLAP!
CLAP!
CLAP!
CLAP!
CLAP!

Na igreja

Na igreja, fica-se quieto, observando como as pessoas que estão rezando e acompanhando a missa ou o culto fazem. É um lugar de respeito e, mesmo sem pertencer a uma religião, quem é bem educado não chama atenção pelo comportamento diferente durante uma cerimônia. Em casamentos, se tiver vontade de comentar a roupa dos noivos ou dos amiguinhos, fale bem baixo.

Quando todos levantam ou se ajoelham, faça o mesmo, ainda que não reze. Meninos, numa sinagoga, o templo da religião judaica, usam solidéu – um gorrinho – distribuído só aos homens.

Sair sozinho

Tome cuidado com desconhecidos que se aproximam, conversam com você, convidam-no para lanchar ou dão um recado de seus pais para acompanhá-los a algum lugar. Diga que não pode e procure logo ficar junto a outras pessoas na rua.

Se acontecer de ser roubado, se tirarem seus tênis, o relógio ou a pasta, faça o que a polícia aconselha. Não reaja, nem grite na hora, pois pode ser machucado.

A VIDA NA ESCOLA

No primeiro dia de aula, a gente se sente estranho, principalmente por não conhecer muitos colegas e os professores. É importante se arrumar direitinho para começar bem. Cabelo penteado, livros e cadernos encapados, com o nome do dono bem destacado e o estojo com lápis, borracha e tudo organizado.

Não junte coisas demais ou muito diferentes dos utensílios dos colegas. Uma borracha colorida, na forma de dinossauro, que seu pai lhe trouxe de viagem, é melhor deixar em casa e usar na hora de fazer os deveres. Na aula, chama muita atenção e pode distrair o pessoal. Ficam pedindo emprestado e querem ver melhor.

Se o colégio tem uniforme, vista estas peças com orgulho, procurando combinar as camisetas e os abrigos com as calças e as saias que você já tem. O uniforme ajuda a poupar suas outras roupas e merece ser bem cuidado.

COLÉGIO S.
JORGE

O PRIMEIRO DIA

Antes de começar a aula, se conversa bastante e comentam-se as férias. Você gosta quando as pessoas mostram interesse pelo que tem a dizer, não é? Então ouça com atenção o que os colegas falam, pois é um modo de agradá-los.

O aluno que chega no primeiro dia de aula seguro, por freqüentar a escola há mais tempo, sabe tudo do regulamento e conhece os professores. Então pode ajudar os colegas mais tímidos a se ambientarem depressa.

Quem pergunta está participando da aula. Também é uma das maneiras de se tornar conhecido dos colegas, nos primeiros dias. A professora se chama pelo nome ou só se diz professora. Quando ela começa a aula, a gente fica quieto e presta bastante atenção às explicações. As perguntas bobas feitas de propósito, da primeira vez os colegas acham graça, mas depois se irritam, porque não conseguem entender o que está sendo ensinado.

Não se deve ter vergonha de fazer perguntas para tirar as dúvidas, pois a gente vai à escola é para saber sempre mais. Só não interrompa a professora no meio de uma frase. Levante o dedo, mostrando que quer falar quando ela terminar:

— Professora, é hoje que vamos fazer os nossos cartões?

O CARTÃO DE CADA UM

Na Itália, há muitos e muitos anos, os artistas pintavam baralhos. Eram tão lindos que, depois do jogo, cada jogador escrevia seu nome nas cartas e distribuía aos companheiros de mesa. Assim começou o cartão de visita. Ao fazer uma visita, se a pessoa não estava em casa, deixavam o cartão para que ela soubesse quem a visitou.

Da carta de baralho, passaram para o cartãozinho liso com ou sem desenhos. Os adultos bem organizados têm seus cartões pequenos que são impressos. Amigos trocarem cartões com nome completo e endereço é etiqueta.

Na escola, a gente faz cartões para dar aos colegas e os professores. Pode-se usar o computador ou escrever à mão em letra legível, tirando cópias em xerox. Um tamanho bom de guardar na agenda é 15cm x 10cm.

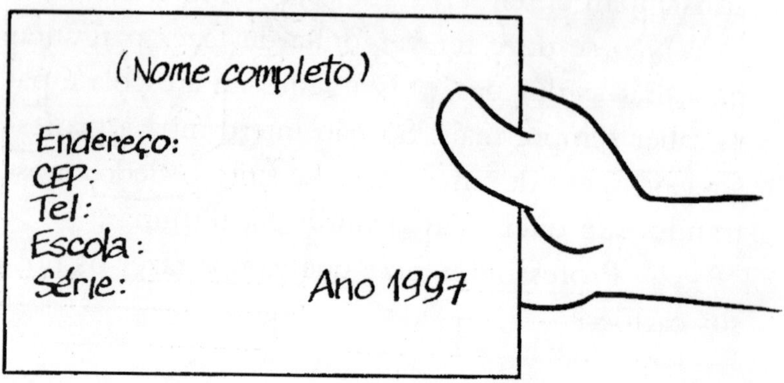

EMPRESTANDO MATERIAIS

É bom ter todos os utensílios escolares reunidos na pasta, mas pode acontecer de um colega se esquecer da borracha ou da tesoura em casa. Alcance-o sempre com bons modos, sem jogar a borracha para o outro.

A tesoura é passada com as duas argolas já na direção para o outro pegá-la certo. Para isto, segure firme a tesoura fechada ao entregá-la. É um gesto de cortesia.

Cuidando dos livros

Eles merecem ser muito bem tratados, principalmente por quem os pede emprestado. Segure com as duas mãos o livro que estiver lendo ou coloque-o em cima da mesa, nunca dobrando sua capa. Não umedeça os dedos na língua para virar as páginas. Sabia que a saliva atrai insctos e amarela o papel?

Examine bem o livro que está pedindo emprestado, mostrando ao dono, na hora, se notou alguma página rasgada ou outro defeito. Se não fizer assim, o colega, ao recebê-lo de volta, pode achar que foi você que fez o estrago.

É sinal de boa educação, ao devolver o livro, colocar dentro um marcador, um cartão postal ou outro presentinho como agradecimento.

Vontade de bocejar

Se deitou tarde, está fazendo calor na sala de aula ou você acabou de almoçar, isto pode dar vontade de bocejar, enquanto a professora fala. Acontece com todo mundo, também com os adultos, assistindo a uma palestra ou mesmo numa sala com visitas.

Bocejar dá impressão de cansaço, de se estar chateado com a conversa. Por isso, se procura apertar os lábios e não abrir a boca. Não dá? Então seja bem-educado, e tape a boca aberta com a mão fechada na forma de uma concha.

Espírito esportivo

A hora do recreio é momento de liberdade. Entra-se num jogo, sabendo que se pode perder ou ganhar. O mais importante no jogo é a alegria de estar participando. Cumprir com as regras, conversar bastante com a equipe, entrar no seu espírito são condições para aproveitar bem o esporte.

Se Gabriel fez três gols na partida de futebol ou Mariazinha conseguiu oito pontos no vôlei, dando a vitória para seus times no campeonato da escola, é claro que só podem ficar radiantes. Saiba ganhar sem contar vantagens. Nem precisa, pois todo mundo viu seu desempenho. Diante de um elogio, fica muito mais simpático dizer:

— Ora..., eu ajudei. Tive sorte e a equipe toda jogou bem.

SABER PERDER

Quem contribuiu para que seu time perdesse uma partida de futebol – o frangueiro – não deve ficar furioso, agredindo os vencedores. Nem precisa fazer tragédia, pedindo mil desculpas, pois ninguém erra por gosto. Os companheiros ficarem brabos com o azar ou a falta de talento dele, brigando com o menino, deixa-o ainda mais infeliz.

Assim como jogaram unidos e perderam, devem felicitar os vencedores. Esta é uma regra básica do comportamento de um bom esportista que começa no time da escola.

Comer com boas maneiras

Os animais se alimentam para sobreviver. Com o ser humano é muito mais do que isto: ele sabe o que come e porque come. Comer dá muito prazer para a gente. É também um hábito social, envolvendo certas regras que é bom aprender desde criança. Quando o cachorrinho está tomando água na tigela, ouve-se de longe o barulho do vaivém da língua dele colocando a água na boca. Já uma criança bem-educada sabe que não se faz barulho ao tomar um líquido. Por isso, ela toma a sopa e não se ouve nada.

As criancinhas comem com a mão e usam babador porque, sem coordenação motora suficiente para pegar a colher e o garfo, sujam a roupa. A coordenação de movimentos, assim como as boas maneiras, são adquiridas aos poucos.

Você gosta muito de merengue recheado? Saboreie devagarinho (pode até revirar os olhos). Para não melar os dedos, procure utilizar um guardanapo de papel ao segurá-lo. Se a gente come com cuidado, devagar, sentindo bem o gosto dos alimentos, parece que tudo fica mais gostoso.

É à hora de sentar à mesa que melhor se conhece a educação de uma pessoa. Saber cortar a carne usando corretamente o garfo e a faca é algo que não se consegue de repente. Bom é começar treinando em casa. Depois que se aprende, é como andar de bicicleta, não se esquece mais.

Como arrumar a mesa

Os talheres são arrumados de fora para dentro, de acordo com a ordem em que forem servidas as comidas. Por isso, ao arrumar a mesa, se deve saber antes qual o cardápio. Havendo sopa, é preciso colocar a colher na mesa, do lado direito, antes da faca para cortar a carne que vem depois.

Neste exemplo, a entrada será maionese de peixe; o primeiro prato, sopa; o prato principal, bife; a sobremesa, sorvete com compota de pêssego.

Colheres e facas, à direita.
Garfos à esquerda do prato.
Há garfo e faca especiais para peixe.
Garfo e colher de sobremesa, acima do prato.
Copos à direita, acima do prato.

Atitudes à mesa

A primeira coisa é desdobrar o guardanapo e colocá-lo sobre os joelhos. Se durante a refeição, precisar levantar, deixe o guardanapo em cima da cadeira e não na mesa. Quando terminar de comer, coloque-o à esquerda do prato.

Pegue os talheres de fora para dentro (veja a figura do lugar na mesa), à medida em que as comidas forem servidas.

Ao cortar a carne com a faca, mantenha os cotovelos junto ao corpo. Caso contrário, parece que você criou asas e pode bater nos vizinhos de mesa.

Deixe as mãos sobre o colo enquanto aguarda o prato seguinte. Ao comer, apóie apenas os pulsos, na borda da mesa.

Quando estiver conversando, nada de gesticular com talheres na mão.

Garfo e faca se ajudam

Pegue a faca com a mão direita. Com a esquerda, o garfo. Repare que parece estar segurando uma caneta. Corte um pedacinho do bife com a faca e leve a carne à boca com o garfo.

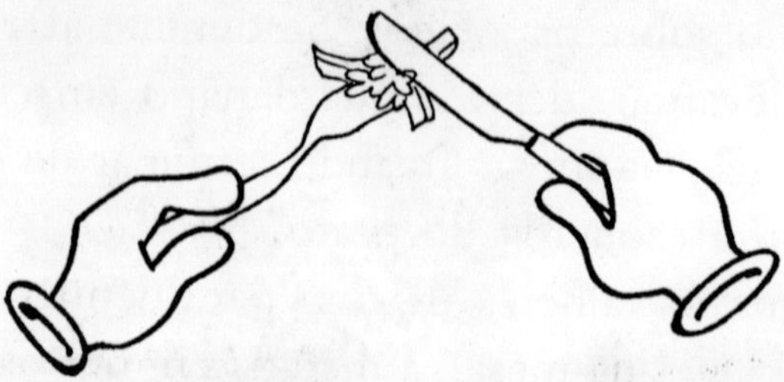

Depois o arroz com a batatinha, pressionando a comida sobre os dentes do garfo.

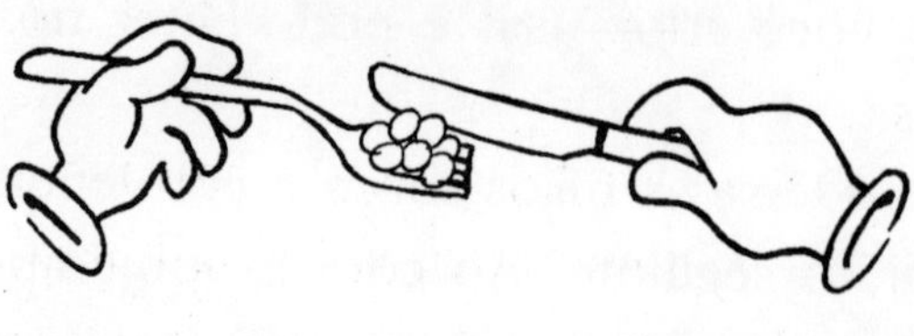

Achou difícil? Há outro jeito. Vire o garfo para baixo e coloque a comida em cima dele com a faca e continue com os dois talheres, um ajudando ao outro. Jamais leve a comida à boca com a faca. É perigoso, pode se ferir. A faca é utilizada só para cortar carnes e ajudar a colocar a comida no garfo.

As pessoas mais cuidadosas com as boas maneiras, ao comer, usam sempre garfo e faca juntos. Vale a pena ir treinando.

Mais fácil, se você não conseguir ainda manusear os dois talheres juntos, é cortar a carne, descansar a faca no prato, com o fio para dentro, e passar o garfo para a mão direita, comendo só com ele.

Use apenas o garfo quando não precisar cortar a carne. Ao comer guisadinho com arroz, por exemplo, não precisa usar a faca.

Muita gente é canhota. O canhoto come com a mão esquerda, seguindo as mesmas regras dos destros. O mais dificil é cortar a carne. Não segure o cabo do garfo com a mão fechada, mantendo o talher de pé no prato. Incline-o. Treinando bem, o canhoto também vence o jogo dos talheres.

Não esqueça!

Ao tomar sopa, coloque a colher na boca de lado e não pela ponta, como se estivesse tomando remédio. Assim, não vai precisar virar a mão.

Quando a sobremesa for servida numa tacinha e houver talheres pequenos acima de seu lugar à mesa, coloque a colher do lado direito e a faquinha do lado esquerdo do seu prato. O canhoto faz o contrário.

Durante a refeição, toda vez que tomar um gole de água ou refrigerante, passe antes o guardanapo nos lábios.

Evite falar enquanto está de boca cheia. Mastigue de boca fechada. Sempre.

Ao servir-se, não encha demais o prato. É preferível repetir, se ficar com vontade de comer mais.

No restaurante, peça ao seu pai ou à sua mãe para que façam seu pedido ao garçom, mas, se ele chegar perto de você, fale diretamente.

Quando a molheira estiver sobre a mesa e pedirem que você a alcance, segure-a com as duas mãos, deixando a alça na direção de quem vai pegá-la.

Não se levante para servir-se de alguma coisa que não está diante de você. Nem estenda o braço por cima da mesa.

— Faz favor de me alcançar o saleiro?

Serviços à francesa, à inglesa e bufê

À francesa é quando a comida é oferecida pelo garçom com uma colher e um garfo grandes na travessa, para a gente mesmo se servir. Segure a colher grande com a mão direita, e com o garfo, na esquerda, ajude a colocar a comida dentro da colher e, com os dois talheres juntinhos, coloque-a no seu prato.

Achou complicado? Ninguém vai reparar, se pedir ao garçom que sirva. É preferível isto a um desastre.

À inglesa é fácil , pois a comida já vem servida no prato da gente.

O bufê é mais prático. As travessas com as comidas estão numa mesa grande. Quando há muita gente no restaurante, pode ter fila. Ao encaminhar-se ao bufê para se servir, segure seu prato ainda vazio com as duas mãos.

Do bufê, sirva-se do que mais gosta. Cuidado em não encher demais o prato. Ao voltar à sua mesa, leve o prato cheio, segurando-o firme com as duas mãos. Se não tiver coragem ainda de fazer tudo isto, peça ajuda à sua mãe ou a um adulto.

Quando você parar de comer para conversar, deixe os talheres dentro do prato para o garçom saber que ainda não terminou.

Ao terminar de comer, deixe os talheres no prato, um ao lado do outro, a faca com o fio para dentro.

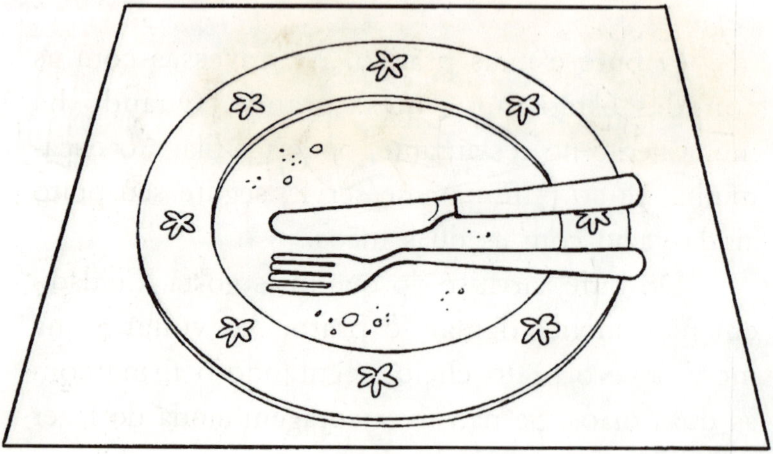

Momentos desagradáveis

Um deles é dar aquela vontade de espirrar quando se está à mesa. Feche a boca, cubra-a com o guardanapo dentro da mão fechada. Baixe a cabeça e espirre discretamente. Arrotou? É de encabular, mesmo. Pode acontecer. Diga, baixinho, "desculpe" às pessoas que estiverem ao seu lado.

Olha só: na carne do frango havia um ossinho que você não viu. Pare logo de mastigar. Jamais cuspa dentro do prato. Tape a boca com o guardanapo e, com os dedos polegar e indicador, retire o ossinho dentro da boca. Coloque-o no seu prato, junto da borda. A mesma coisa se faz com caroço de azeitona.

Não gostou do almoço em casa de um amiguinho? Dê a impressão de que está comendo, mexendo um pouco a comida com o garfo, sem chamar a atenção.

Coma só o arroz ou outro dos acompanhamentos. Se perguntarem "não gostou?", responda sem entusiasmo:

— Está bom, sim. Eu é que não estou com fome.

É melhor fingir para não deixar os outros constrangidos. Afinal, eles não podem adivinhar o que você gosta ou não gosta de comer. E a gente também não é obrigado a gostar de tudo.

Para lembrar sempre!

• Fora de casa, espere que os mais velhos mostrem onde você vai sentar-se.

• Com pessoas estranhas à mesa, só comece a comer quando os adultos começarem.

• Durante a refeição, havendo convidados, fale pouco.

• Toda vez que lhe servirem uma comida ou uma bebida, agradeça.

• Se pedir para lhe alcançarem o açucareiro ou um dos objetos na mesa, lembre das palavrinhas mágicas.

— Por favor, pode me passar a garrafa de guaraná? Obrigado.

• Tendo necessidade de levantar – ir ao banheiro, por exemplo – peça licença baixinho, para sua mãe ou o adulto que estiver sentado ao seu lado.

• Quando terminar de comer, coloque o guardanapo desdobrado, à esquerda do prato.

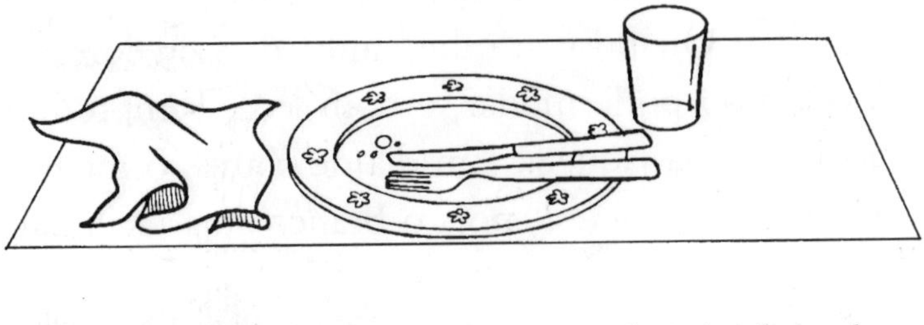

• No final da refeição, só levante depois de a dona da casa convidar para saírem da mesa.

Que roupa escolher?

Num dia frio, a gente se veste com roupas quentes. Se faz calor, é claro que a roupa deve ser fresquinha. Quando se sabe, antes de sair de casa, que o tempo pode mudar, é bom levar sempre um casaco ou uma jaqueta. Em dia de chuva, o melhor é calçar sapato escuro, pois o branco suja facilmente.

Criança não precisa se vestir com tanta preocupação como o adulto. Pensando em dois tipos de roupa, a gente vai saber o que vestir.

Casual e formal

A roupa que se usa todo o dia, na escola, nos ginásios, para assistir a jogos e fazer compras é casual. Parece que foi escolhida com os sapatos sem que você tivesse a preocupação de se enfeitar. Casual é traje com tênis e sandália.

Para ir ao shopping, é a mesma roupa da escola, desde que não esteja suja depois de todo um dia de estudo e brincadeiras.

As peças do uniforme da escola podem compor o traje casual. Por estarem sempre em uso, devem ser melhor cuidadas. Ao chegar em casa, pendure a jaqueta no cabide. Deixe as malhas arejarem e depois dobre-as na gaveta. Ao tirar a camisa, olhe bem se está suja. Está? Então peça para lavarem.

Formal é para ocasiões especiais: festas, jantar em restaurante, teatro à noite, casamentos.

As meninas de vestido ou minissaia e blusa. Vão de bolsinha, sapato fechado com meia . Podem usar uma tiara ou um laço de fita prendendo os cabelos compridos. Com oito ou nove anos já dá para um batonzinho claro. Nas unhas, nada de esmalte colorido.

Os meninos vestem suas camisetas com a calça muito bem passada.

Por cima da camiseta ou da camisa um blazer, como os homens usam. É hora de estar de meia e com os sapatos brilhando. Dependendo do tipo de festa, vão de terno e gravatinha, como nos casamentos.

MEU VESTIDO CUSTOU SUPERCARO! E O SEU?
NÃO SEI. ACHO QUE ESSAS COISAS A GENTE NÃO FICA FALANDO... PARECE EXIBIÇÃO!
QUE É ISSO, GABRIEL? VOCÊ ESTÁ COM AR DE TRISTE! LEVANTA A CABEÇA, TIRA AS MÃOS DO BOLSO E VAI FICAR ATÉ MAIS BONITO!

Hora do banho

De nada adianta estar arrumadinho, com roupas bonitas, sem cultivar bons hábitos de higiene. Como criança se movimenta muito, tomar banho todos os dias é fun-da-men-tal. Não esqueça de lavar as orelhas, com cuidado.

Tem garoto que reclama quando sua mãe fala. Pois é seguir o conselho dela, indo logo para baixo do chuveiro. No verão, se precisa até de mais de um banho por dia. Não esqueça o desodorante. Faça um teste: examine-se depois de correr. Sentindo cheiro do seu suor debaixo do braço é sinal que precisa aplicar desodorante sempre, após o banho.

Assoe o nariz ao lavar o rosto pela manhã e à noite. Por favor, não esqueça de escovar as unhas que devem estar sempre bem aparadas. Se ainda não conseguir cortar as da mão esquerda ou da direita sozinho, peça a alguém da casa que o ajude.

PLASH
BODE SHOP

Hábitos de higiene

Escovar os dentes pela manhã e à noite e, sempre que possível, depois das refeições, contribui não só para a saúde da boca como para um hálito agradável quando se fala. Por isso, quando se almoça fora, é bom levar um estojinho, daqueles de avião, com escova e minipasta de dente.

Para ter um cheirinho agradável no corpo, por algumas horas, use um sabonete perfumado e lave os cabelos com xampu. Os meninos que adoram deixar os cabelos bem compridos, precisam cuidar ainda mais da cabeleira. As meninas podem escolher uma água de colônia muito suave, aroma de fruta ou floral.

OBA, É HORA DE FESTA!

Quem não sabe como se vestir para ir a uma festinha pergunta aos amiguinhos que também vão ou ao aniversariante. Se adultos fazem isto com naturalidade, criança não tem porque ficar encabulada ao querer tirar a dúvida.

Aniversário bem festejado

É bom olhar a agenda e se dar conta que falta só um mês para o dia do aniversário. Está na hora de começar os preparativos para a festinha. Se cair em feriado ou já tiver sido marcado o aniversário de um amiguinho no mesmo dia, transfira sua festa para uma data em que todo mundo possa comparecer.

Converse com sua mãe. Pergunte quanto ela pode gastar e combinem o tamanho da festa. Não precisa de muito dinheiro para uma festinha divertida. Convidando outras crianças, além dos colegas, lembre-se daqueles que já o convidaram para uma festinha. Estará retribuindo seu convite.

No começo do ano, as mães, em geral, conversam com a professora comunicando que desejam festejar o aniversário de seus filhos na própria escola. A professora já pede para evitar decorações que modifiquem muito o local. É bom escolher coisas fáceis de comer com guardanapo de papel. Com bolo de aniversário já precisa de pratinho e colher. Uma festa alegre pode ser feita só com cachorro-quente, pipoca, brigadeiro (bolinhas de chocolate) ou bombons e refrigerante.

PARABÉNS PRA VOCÊ...
NESTA DATA QUERIDA...

Que tal ir desde já pensando na sua festinha? Determine a melhor data para a comemoração. Depois, faça uma lista para calcular o número de convidados. Escolha o melhor local para a festa e finalmente pense o que será servido aos seus amiguinhos.

Para simplificar, não precisa fazer o bolo que todo mundo conhece. Peça à sua mãe que use um prato grande. Com uma vela acesa, ela pinga esparmacete no meio do prato e vai fixando as velinhas correspondentes à nova idade. Como não são muitas, sobra bastante espaço para as balas e bombons em volta, um pelo menos, para cada convidado. O prato com as velinhas fica na frente do aniversariante para que ele as apague num único sopro, enquanto a turma canta *Parabéns*.

Grande aniversário

A festa é sempre um jogo de imaginação de quem reúne seus amigos. Dura muito mais do que a reunião. Começa nos preparativos e continua sempre que a gente se lembrar dela. Então vale a pena o trabalho.

Em sua casa ou num clube, dá para fazer uma festa com decoração bem vistosa. A mesa pode ser enfeitada com elementos que fazem parte de uma historinha ou um personagem, e a festinha girar em torno deste tema. Se for ecologia, com o ambiente cheio de plantas – como se fosse uma selva – a toalha da mesa em tecido estampado de pele de tigre e o bolo decorado com bichinhos, as crianças podem usar máscaras com cara de bicho.

O convite deve dar uma idéia deste aniversário na selva. Num aniversário de menina, fica bonito um desfile de chapéus. Na chegada, garotas e garotos escolhem um chapéu, entre os muitos reunidos. Melhor ainda, é cada um trazer o seu de casa, um chapéu antigo dos pais ou dos avós.

Convite criativo

Todo convite deve responder às perguntas que o convidado se faz ao recebê-lo. Quem convida? Para quê? Quando? Onde?

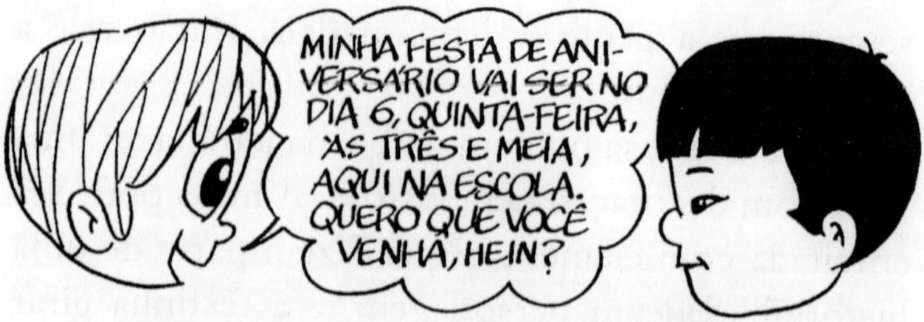

O melhor é fazer o convite por escrito, para o convidado mostrar em casa e seus pais ficarem sabendo onde ele vai e quem o convida. Convide, no mínimo, uma semana antes, para dar tempo aos amiguinhos de se programarem. Às vezes compram roupa nova e querem escolher um presente.

Nas festas realizadas na escola, combina-se com a professora se é para trazer presentes ou não.

Nunca convide ou entregue o convite a um amiguinho, quando há outros por perto que não serão convidados. É uma grosseria. Por isso, às vezes, é melhor entregar o convite na casa dele. No dia seguinte à festa, os convidados evitam fazer comentários na frente de quem não foi.

Para os convidados não esquecerem o dia e o horário em que começa sua festinha, convém fazer o convite por escrito, usando o cartão de visita feito em sala de aula. Escreva atrás:

Venha ao meu aniversário

(data) (horário) (local)

Há um jeito mais bonito de fazer os convites, facilita sua vida e você gasta menos. Escreva com letra bem caprichada e legível as informações para o convidado. Peça para tirarem cópias deste convite, em xerox, de acordo com o número de convidados. Se der vontade de deixar um convite diferente do outro, desenhe e pinte com lápis de cor.

Dobre o papel ao meio, deixando a parte do texto para dentro. Este convite não precisa envelope separado. É bem íntimo. Na capa escreva, com letra legível e caprichada, o nome do amiguinho.

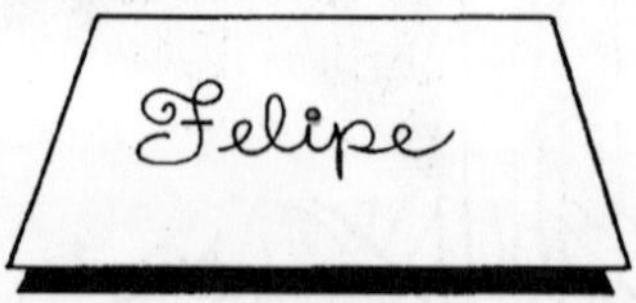

Atrás, no verso da folha, embaixo, à esquerda, junto ao remetente: assine o seu primeiro nome, endereço e número do seu telefone, com letra miúda.

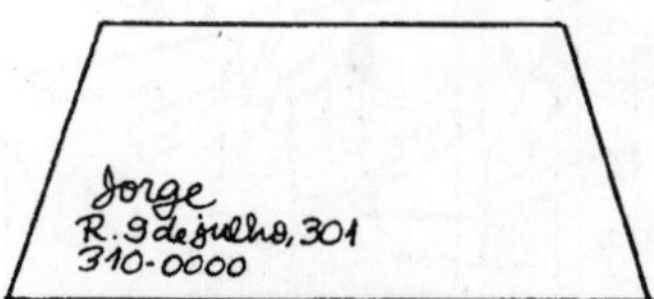

O aniversariante educado

• Respeita os preparativos e resiste à tentação de provar os salgados e os docinhos dos pratos que já estão arrumados.

• Estará pronto, no local da festa, meia hora antes do horário indicado para a chegada dos convidados.

• A aniversariante não vai se enfeitar demais, para não se destacar muito se, entre as convidadas, houver meninas que não dispõem das mesmas condições.

• Fica na entrada do local da festa, na hora marcada no convite para o começo da reunião.

• Recebe os presentes na hora e deixa para abrir os pacotes depois se houver muitos convidados. O aniversariante combina com alguém da família para ficar ao seu lado, anotando no pacote o nome de quem deu.

• Entra na sala para ficar com os convidados assim que a maioria já tiver chegado. Os atrasados são recebidos à entrada pela mesma pessoa que ajuda a identificar os pacotes.

• Dá o exemplo de como todo mundo deve se comportar durante a festa. Se faz muita bagunça, é claro que os outros vão fazer a mesma coisa. Se um dos amiguinhos passa da conta, conversa com ele, sem brigar, ou chama a mamãe para acalmá-lo.

• Ao ver um dos seus convidados de lado, sozinho, leva-o para junto de outras crianças, com as quais acha que ele vai se dar bem. Exemplo? Menina que gosta de dança vai logo se ambientar com a turminha do balê.

A HORA DOS PRESENTES

Mesmo que não tenha gostado, demonstre que apreciou a lembrança. Quando os pacotes de brinquedos são deixados abertos para todo mundo ver, é bom pedir a um adulto que fique por perto, evitando que as crianças mexam em tudo.

Se você é o convidado, puxe pela sua imaginação e escolha um presentinho de acordo com o aniversariante. O que uma menina colecionadora de papéis de carta pode gostar? Uma folha de lindo papel de correspondência com envelope para enriquecer a coleção dela.

Não faz mal se for baratinho, porque um presente para agradar não depende do preço. Quer uma idéia? Desenhe alguma coisa numa tira de cartolina fina, fazendo um marcador de livro, com sua assinatura, para um aniversariante que gosta de livros.

Convidado que não pode ir à festa do amigo precisa dar presente? Não. Só se o aniversariante já o presenteou, em outras ocasiões. Seria uma retribuição.

Presente se pode mandar em casa com um cartão desejando feliz aniversário. Também se entrega, no dia seguinte da festa, na escola, procurando não chamar a atenção dos outros.

Amigos dos pais e padrinhos podem não comparecer à sua festa de aniversário, mas geralmente lhe enviam presente. Não esqueça de agradecer.

Outra maneira de agradecer é usar cartão comprado numa papelaria ou – melhor ainda – o que você mesmo fez. Escreva no lado em branco do cartão, assinando apenas o primeiro nome. Coloque dentro do envelope, de modo que quando a pessoa for abri-lo, vai logo ler seu agradecimento. Depois ela vira o cartão e lá está seu nome por extenso, endereço, etc.

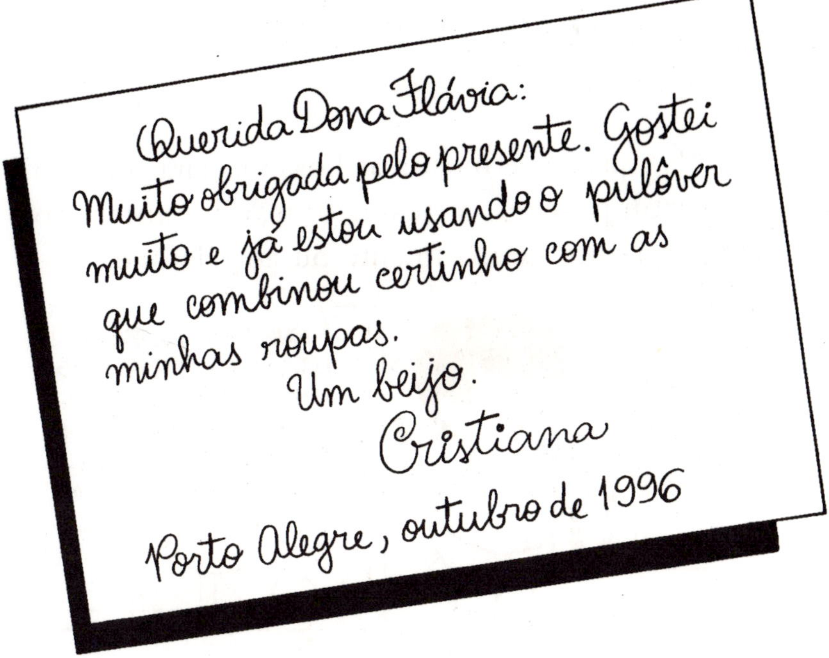

Querida Dona Flávia:
Muito obrigada pelo presente. Gostei muito e já estou usando o pulôver que combinou certinho com as minhas roupas.
Um beijo.
Cristiana

Porto Alegre, outubro de 1996

Senhora
Flávia de Menezes
Avenida Copacabana, 575_ap.201
Rio de Janeiro
20000-000

SELO

O CONVIDADO EDUCADO

É aquele que mostra as boas maneiras mesmo sem comparecer à festa, avisando antes ao aniversariante, pessoalmente ou ao telefone.

Ao chegar a uma festinha, se a mãe do aniversariante estiver por perto, ele não se encabula e vai cumprimentá-la.

A mãe do convidado pode ter dito para ele que conhece a dona da casa. Então esta criança já tem assunto para começar a conversa.

O convidado bem-educado não fica bisbilhotando nos quartos, abrindo portas. Ele procura ser receptivo, participando das brincadeiras. Também não faz troça se alguém comete uma gafe, isto é, dá um fora. Evita ficar cochichando num grupinho, comentando a roupa que estão achando meio estranha em uma das meninas. Ela vai ficar desconfiada e sem graça para se divertir na festa.

Ao final, quando se despedir, ele agradece o convite e pode fazer algum elogio.

Anotações

VIU COMO É FÁCIL APRENDER BOAS MANEIRAS?
A GENTE TÁ SEMPRE APRENDENDO! TODA VEZ QUE TIVER DÚVIDAS, VOLTE A NOS VISITAR NESTE LIVRO! UM BEIJÃO!

Onde encontrar

Impressão:

GRÁFICA EDITORA
Pallotti IMAGEM DE QUALIDADE
SANTA MARIA - RS - FONE: 222.3050

Com filmes fornecidos